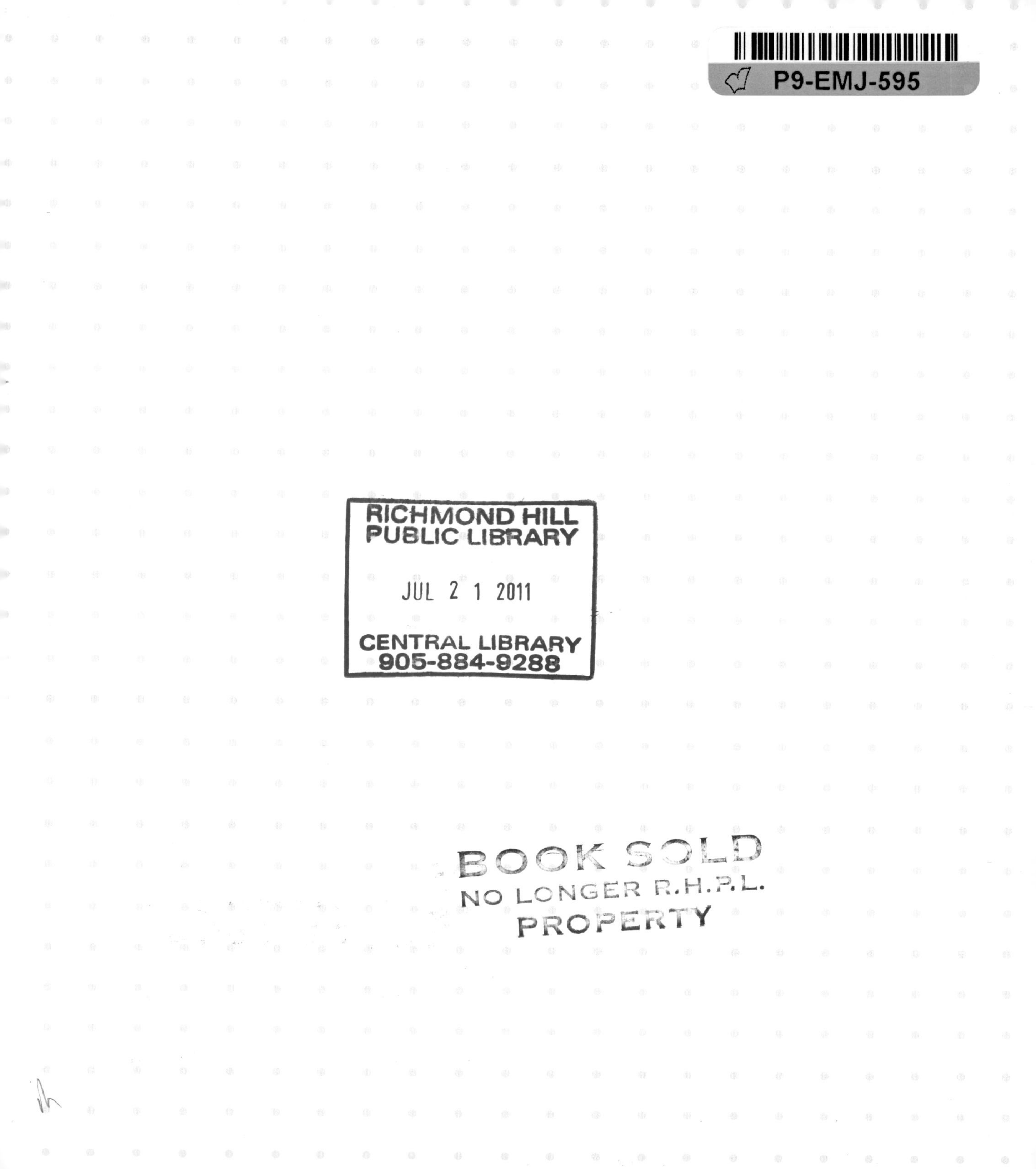

Histoires
de fées et de lutins

FLEURUS

Illustration de couverture : Virginie Chiodo
Direction : Guillaume Arnaud
Direction éditoriale : Sarah Malherbe
Édition : Anna Guével
Direction artistique : Élisabeth Hebert, assistée de Sophie Farnier
Mise en pages : Sophie Boscardin
Fabrication : Thierry Dubus, Anne Floutier

Site : www.fleuruseditions.com
ISBN : 978-2-2150-4988-3
MDS : 651 434
N° d'édition : 11008

Histoires à raconter pour les petits

Histoires de fées et de lutins

Fleurus

Sommaire

La fée Folette a perdu ses lunettes

« Saperlipopette ! Où ai-je posé mes lunettes ? » s'agite la fée Folette en voletant dans toute la maison.
Elle doit défiler à la Grande Parade des Animaux Magiques et, sans lunettes, il lui est impossible de lire les formules magiques pour faire apparaître la plus petite bête…
Désolée, Folette regarde sa baguette qui ne lui sert plus à rien.

Trois grosses larmes coulent sur ses joues et… trois petits lutins apparaissent.
« Pouic, Flac, Ploc, à votre service ! » s'écrient-ils avec un grand sourire.
Aussitôt, Pouic se penche sur une page du grimoire de magie et déchiffre le premier mot : « Abracadapouic !
– Non, c'est abracadaflac ! s'exclame son frère.
– Pas du tout : abracadaploc ! » se fâche Ploc.

« Abracadapouic – flac – ploc, articule Folette en faisant tourner sa baguette… Au secours ! » Elle se cache sous la table, car elle vient de faire apparaître une horrible grenouille en chaussettes.
« Ce n'est pas du tout ce que je voulais », pleurniche Folette en pensant à la merveilleuse licorne représentée sur son livre.

« Ho ! Hisse et pouic… » s'affaire Ploc sous le buffet.
Étonné, il sort un drôle d'objet.
C'est fin, un peu tordu, et ça donne mal au cœur à Flac qui regarde au travers.
« Hourra, saute de joie Folette, vous avez trouvé mes lunettes ! »

Elle embrasse les lutins, se penche sur le grimoire et lit :
« Abracadabra, une licorne tu auras. »
Immédiatement, la grenouille se transforme en
un magnifique cheval ailé... à chaussettes !
Les trois lutins et Folette s'installent sur le dos
de la créature et bondissent dans le ciel. Vite, la parade
va bientôt commencer !

Et c'est ainsi que le Conseil de la magie, après avoir contemplé trente-trois dragons enflammés, vingt et une sirènes argentées et dix-sept araignées géantes, a récompensé la magnifique licorne à chaussettes, ses trois lutins cavaliers et son écuyère à lunettes !

La mission de Jasmin

C'est un grand jour pour Jasmin. Pour la première fois, ses compagnons lui ont confié la garde du trésor. Chut, il est caché dans un creux, au fond de la grotte où habitent les lutins des bois…
Voilà des heures que tous sont partis cueillir des champignons. Jasmin trouve le temps long.

« Je parie qu'ils sont allés s'amuser dans la cascade sucrée, rouspète-t-il. Et moi alors ? »
Après tout, il peut bien quitter son poste un instant pour aller prendre son troisième goûter !
Hop, en trois bonds il escalade l'arbre à myrtillons et se régale de ses délicieux fruits.
Soudain, il entend des appels au secours du côté de la cascade.

« Oh, mes compagnons sont attaqués par
des champignons mignons ! »
En effet, ceux-ci encerclent ses amis et tentent
de les assommer en bondissant sur eux.
Ces gros champignons n'aiment pas être cueillis.

« Et de plus, songe Jasmin, ces coquets détestent être salis... »
Il a une idée. Vite, il remplit ses poches de myrtillons, descend de l'arbre et s'approche discrètement.

Splash ! il en bombarde les champignons qui, tout dégoulinants, sautent dans la cascade pour se nettoyer, oubliant leurs prisonniers. « Jasmin, tu es notre héros ! » s'écrient ses amis, soulagés.

Mais de retour à la grotte, Jasmin est moins fier de lui : le coffre au trésor a disparu ! Pendant son absence, les lutins des greniers, leurs ennemis jurés, l'ont volé. La preuve : ils ont perdu un bonnet.
Jasmin a envie de pleurer.

« Tout va bien, assure Bleuet. Ils ont emporté un faux trésor. Regarde : j'avais caché le vrai sous mon matelas.
– Tu es tellement gourmand que l'on se doutait que tu aurais du mal à remplir ta mission, ajoute Lilas en riant. Mais pour te remercier de nous avoir sauvés, nous te nommons cueilleur en chef de myrtillons ! »

À l'école de la magie, toutes les petites fées ont des chapeaux roses avec une étoile dessus… et toutes les petites sorcières, des chapeaux noirs avec une araignée suspendue.
Dans la cour de récréation, fées et sorcières ne jouent jamais ensemble.
« Nous sommes des sorcières, nananère ! crânent les unes.
– Les fées sont plus jolies, tralali ! » chantent les autres.

Assise dans un coin, Lili fée s'ennuie. Son chapeau est un peu taché, les autres fées ne lui parlent jamais. Derrière le marronnier, Lou la sorcière se cache. Ses cheveux sont blond filasse. Les autres sorcières ne l'invitent jamais.

À chaque récréation, Lili fée s'entraîne à faire des tours : *« Baguette chérie, fais un tour très beau, donne-moi un cadeau ! »* Et la baguette lui apporte un crapaud ! Lili fée recommence : *« Baguette chérie, fais un tour par là, donne-moi du chocolat ! »* Et la baguette lui apporte de la boue. Pouah ! Ça ne marche toujours pas.

Un jour, Lou la sorcière s'approche de la petite fée :
« Est-ce que tu veux bien faire de la magie avec moi ?
– D'accord, dit Lili. Sors ta baguette et ferme les yeux.
Essayons cette formule : *"Baguette chérie, fais un tour par ici, donne-moi une amie !"* »

Quand Lili fée ouvre les yeux, il y a Lou au bout de sa baguette magique.
« Ça a marché ! » s'exclame Lili en prenant la main de Lou.
Et elles s'en vont bras dessus, bras dessous, chanter tout autour de la cour : « Qui veut apprendre un nouveau tour de magie ? Qui veut avoir une amie ? »

Depuis cette journée, à l'école de la magie, il y a des petites fées maquillées et des petites sorcières bien peignées qui jouent ensemble toute la journée !

Quelle mauvaise surprise, ce matin, pour les lutins !
Pendant la nuit, une tempête a détruit tout ce qu'ils avaient préparé pour la Fête de la lune.
Le vieux chêne est tombé sur la piste de danse, le gâteau à la vanillette est écrasé, les instruments de musique et les lampions sont cassés !

Pipol est très contrarié.
« On n'arrivera jamais à tout réparer », grogne-t-il en allant chercher des outils à l'atelier.
En chemin, une bande de moustipiks papillonne autour de lui. Bzziii, ces petites bêtes s'amusent à le picoter et lui volent son bonnet. Le lutin furieux se lance à leur poursuite.

Soudain, près de l'étang, il aperçoit par terre une baguette magique.
Aussitôt, Pipol a une idée : il décide de l'utiliser pour se venger des moustipiks. Il ne sait pas comment leur jeter un mauvais sort, mais ça ne doit pas être compliqué !

« Euh, abraglagla ! » dit-il au hasard en dirigeant la baguette vers les insectes qui volettent de tous côtés. Mais erreur : il transforme l'étang en glace ! Il essaie encore : « Abrachofleur ! »… et il change l'eau de la cascade en chocolat, puis les joncs en muguets géants.

À cet instant, la petite fée Nini surgit.
« Oh, merci, tu as retrouvé ma baguette emportée par la tempête ! » se réjouit-elle.

Pipol la lui rend, honteux de ses bêtises. Lorsque tout à coup, il lui vient une nouvelle idée…
Ce soir, grâce à Pipol, la Fête de la lune est très réussie : les lutins ravis et la fée Nini dansent sur l'étang gelé, au son des clochettes des muguets, diling !

Ils se régalent de chocolat à la cascade. Et ils sont éclairés par une nuée de vers luisants : ce sont les moustipiks, que Nini a transformés pour la nuit !

Lilas-Rose était une jolie fée douce et gentille que tout le monde aimait.
Tout le monde ? Non, pas tout à fait.
La fée Pissenlit, jalouse de sa beauté, décida un jour de lui jouer un vilain tour. Pendant que Lilas-Rose cueillait des fleurs dans la forêt, Pissenlit lui vola sa baguette magique et rendit la petite fée aussi petite qu'une souris.

Au milieu des herbes et des champignons, Lilas-Rose était complètement perdue.
« À l'aide ! Quelqu'un aurait-il vu ma baguette ? » criait-elle.
Soudain, un lutin espiègle apparut.
« Bonjour, Lilas-Rose ! Que t'arrive-t-il ?
– Tu connais mon nom ? demanda, étonnée, la jolie fée.
– Bien sûr ! Je m'appelle Filou. Personne ne fait attention à moi, mais je t'observe souvent dans ton atelier. Et puis, j'adore dormir au milieu des coussins de ton canapé.
Tu n'es pas fâchée ? »

Lilas-Rose poussa un gros soupir de soulagement.
« Oh non, pas du tout ! Tu vas pouvoir me rendre un grand service. Mon ancienne baguette est cachée dans mon coffre à magie, dans la cuisine. Tu trouveras la clé…
– Sous le canapé, je sais ! »

Et pfft ! Filou disparut. Il se glissa comme d'habitude par le trou de la porte d'entrée de Lilas-Rose, et prit la clé. Après une escalade le long du coffre, Filou réussit enfin à ouvrir la serrure.

Oh, non ! L'horrible fée Pissenlit apparut devant lui dans un nuage de fumée noire.
« Donne-moi tout de suite cette baguette ! » ordonna-t-elle.
Le brave petit lutin se souvint alors d'une formule prononcée par Lilas-Rose dans son atelier. Il la répéta à toute allure, la baguette à la main : « Hocus, pocus, statutus ! »
Pissenlit se transforma aussitôt en statue de pierre.
« Bon débarras ! »

Grâce à Filou, en deux coups de baguette, Lilas-Rose redevint une grande et belle jeune fille.
Depuis ce jour, le lutin n'eut plus besoin de se cacher.
Il devint l'assistant personnel de la plus gentille des fées et la protégea de tous les mauvais sorts !

Le secret de Nina

Dans la cour de récré, Nina est comme toutes les autres petites filles, ou presque !
Elle est championne de marelle, sait danser sur les pointes, mais elle a aussi des pouvoirs… magiques.

C'est vrai ! Nina est une fée. Pourtant, elle n'a pas le droit de le révéler, même pas à Louison, sa meilleure amie. « À l'école, tu dois te comporter comme les autres enfants ! » lui a ordonné sa maman.

Si seulement Nina pouvait désobéir ! Elle ferait apparaître un manège au milieu de la cour, avec un distributeur de bonbons. Et elle ferait boire à la directrice une potion qui l'empêcherait de donner des punitions.
Dring ! La cloche sonne la fin de la journée.
Nina et Louison rentrent ensemble en se racontant des histoires.

Soudain, elles entendent un miaulement.
« Regarde, Nina ! Un petit chat est coincé sur le toit !
– Attention ! Les tuiles sont très glissantes ! » crie Nina.
Les deux amies sont effrayées à l'idée de voir le chaton tomber sur le sol.

Cette fois-ci, Nina doit agir vite. Après tout, elle n'est pas à l'école ! Elle regarde à droite, à gauche : personne ne les observe.
La petite fée attrape son médaillon magique caché sous son pull et prononce la formule : « Voli, volo, vola ! Tapilo vola ! »

Louison n’en croit pas ses yeux. Dans un nuage de fumée colorée, un tapis volant apparaît et vient se poser juste en face du chaton. Celui-ci saute dessus et redescend sur la terre ferme, sans une égratignure.
« Nina, tu es une… une… bafouille Louison.
– Oui, je suis une fée ! Mais chut ! C’est un secret ! Maman ne veut surtout pas que la maîtresse le sache… » dit Nina tout bas.

Louison la gourmande accepte de ne pas raconter ce qu'elle a vu, à une condition : « La prochaine fois qu'il y a des épinards à la cantine, tu peux les transformer en frites ? »

Photogravure : Point 4
Achevé d'imprimer en février 2011 par Book Partners (R.P.C.)
Dépôt légal : mars 2011